Disney

PRESENTA:

MI PRIMERA ENCICLOPEDIA

PRESENTA:

MI PRIMERA ENCICLOPEDIA

TOMO 13
Incas—Juegos Olímpicos

EDITORIAL CUMBRE, S.A.

ISBN: 968-33-0104-5

Publicado por *Editorial Cumbre, S.A.*, Crepúsculo No. 46, C.P. 04530, México, D.F.
Esta primera edición consta de 25,000 ejemplares y se terminó de imprimir el 15 de agosto de 1983
en los talleres de *Organización Editorial Novaro, S.A.*, Calle 5, No. 12, Naucalpan de Juárez, Edo. de
México.

¿Para qué son los símbolos?

Cada uno de los artículos de MI PRIMERA ENCICLOPEDIA va precedido de un símbolo. Los símbolos son auxiliares pedagógicos cuya función es parecida a la de los letreros de las carreteras: indican hacia dónde vas, en este caso, cuando empiezas a leer un artículo. Por ejemplo, si te remites al artículo titulado **Pitón,** el símbolo correspondiente te indica que pitón es un reptil perteneciente a un grupo zoológico que incluye a los lagartos, las tortugas y las serpientes. De esta manera, los símbolos te ayudan a clasificar y a organizar en tu mente la información que te proporciona esta obra.

 Arboles

 Arte y literatura

 Asuntos mundiales

 Aves

 Batracios

 Ciencia

 Comportamiento animal

 Comportamiento humano

 Comunicación

 Cuerpo humano

 Deportes

 Dinosaurios

 Economía

 Espacio ultraterrestre

 Espectáculos

 Flores y plantas

 Historia antigua

 Historia moderna

 Insectos

 Mamíferos

 Música

 Peces

 Personajes famosos

 Planeta Tierra

 Religión

 Reptiles

 Transportes

Vida acuática

Incas

Los incas fueron un pueblo indio que gobernó un vasto imperio de América del Sur. A fines del siglo XIV, los incas eran una pequeña tribu que vivía en lo que es ahora el Perú. Para 1450, habían conquistado a más de diez millones de gentes de otras tribus y su imperio se extendía en una zona de más de 3.000 km de largo, en donde actualmente están Perú, Ecuador, Bolivia y el norte de Argentina y de Chile. La capital del imperio estaba en Cuzco y el idioma era el quechua.

Los incas tenían una civilización muy avanzada y construyeron palacios, edificios y caminos de piedra. Construyeron canales para hacer llegar agua a sus cultivos y criaron alpacas y llamas para aprovechar su carne y su lana. Los incas también eran mineros y fabricaban utensilios y armas de cobre y bronce; decoraban sus templos con oro, plata y estaño. Los incas creían que su emperador descendía del dios del sol. En el siglo XVI, el español Francisco Pizarro conquistó a los incas.

Machu Picchu, en Perú, es conocida como "la ciudad perdida de los incas." Fue descubierta en 1911 por el arquéologo Hiram Bingham.

Lograr la independencia significa liberarse del dominio o el gobierno de otros.

A veces un país gobierna a otro. Si la nación gobernada no está de acuerdo con las ideas o leyes del país gobernante, puede buscar hacerse libre e independiente. A veces el país gobernante permite que el gobernado se independice; otras el gobernado debe luchar para alcanzar su libertad. En 1947, Gran Bretaña concedió la independencia a India, pero sólo después de que ésta, dirigida por Mohandas Gandhi, luchó durante muchos años por obtener su libertad.

Véase también *Gandhi, Mohandas.*

Los países independientes suelen celebrar el aniversario de su independencia con fuegos artificiales, desfiles y otras ceremonias.

Dirigidas por George Washington, las trece colonias norteamericanas obtuvieron su independencia de Gran Bretaña en 1783.

India

El Taj Mahal, de Agra, fue construido entre los años 1631 y 1648 por un rajá, como tumba para su esposa. Es uno de los edificios más hermosos del mundo.

India es un país asiático tan extenso que a veces se le considera un subcontinente. Su territorio va desde los Himalaya hasta el océano Índico, y su población es de unos 650 millones de habitantes.

Los indios, en su mayoría, viven en aldeas rurales muy pobres y cultivan arroz, té y otras plantas. Viven en casas pequeñas que con frecuencia albergan a grandes familias compuestas por abuelos, padres e hijos.

Durante siglos los indios han estado divididos por nacimiento en cuatro grupos llamados castas. Ese sistema está evolucionando poco a poco.

Más del 80 por ciento de la población practica la religión hindú. Los hindúes viajan grandes distancias para bañarse en las aguas sagradas del río Ganges, para purificar el alma.

Durante casi 250 años, Gran Bretaña gobernó a India. En 1947, ésta se independizó y se dividió en dos naciones: India y Paquistán.

Véase también *Asia; Gandhi, Mohandas; Himalaya,* y *Hinduismo.*

8

Indonesia es un país integrado por miles de islas tropicales que se extienden a lo largo de 5.632 km en el océano Pacífico, desde Asia hasta Australia.

Hay cuatro islas principales: Java, Borneo, Sumatra y Célebes. La capital de Indonesia se llama Yakarta, situada en Java; allí vive más de la mitad de la población.

Java es una isla de selvas, praderas, montañas y volcanes. El suelo volcánico es fértil para la agricultura. El cultivo principal es el arroz.

Borneo y Sumatra tienen espesas selvas en las que viven tigres y orangutanes. En Sumatra se cultivan el caucho, el té y el tabaco.

Los habitantes de Indonesia son, en su mayoría, de origen malayo o papuásico y llegaron de las islas de Asia y del Pacífico hace cientos y cientos de años. En el siglo XVII los holandeses tomaron el control de la región, pero en 1949 Indonesia se independizó.

Las bailarinas balinesas son famosas por la gracia con que ejecutan danzas autóctonas.

9

Ingeniería

Los ingenieros civiles se guían por planos detallados para construir obras como presas.

La ingeniería es la actividad de inventar, diseñar y construir los mecanismos y las estructuras de nuestra civilización moderna. Hay ingenieros con distintas especialidades; por ejemplo, los civiles se ocupan principalmente de construir caminos, presas, edificios y puentes. Los hay también mecánicos, químicos, electricistas, industriales, metalúrgicos y agrícolas.

Véase también *Canal, Construcción, Presa, Puente,* y *Túnel*.

Al construir un túnel, los ingenieros pueden planear la construcción de manera que la excavación empiece por los extremos y terminara en el centro.

Inmigración

Los inmigrantes son personas que dejan su país de origen para establecerse en otro, en busca de un mejor empleo que les permita mantener a su familia, libertad para practicar su religión o el deseo de dar una mejor educación a sus hijos.

Las mayores inmigraciones se produjeron en los siglos XIX y XX. Grupos de europeos emigraron a Australia, América del Sur y América del Norte. Millones de personas llegaron a Estados Unidos procedentes de Europa, África y Asia. Entre 1820 y 1930, Estados Unidos acogió a más de la mitad de los inmigrantes del mundo. En el siglo XX, la inmigración se redujo.

Los Pilgrims fueron de los primeros inmigrantes que llegaron a Estados Unidos procedentes de Europa.

Estados Unidos siguen ofreciendo acogida a inmigrantes de muchas partes del mundo. En 1980, miles de cubanos llegaron allí como inmigrantes.

Insecto hoja

Los saltahojas saltan con mucha rapidez; por eso son muy difíciles de atrapar.

El insecto hoja es tan delgado que parece una hoja del árbol del que se alimenta o en el que descansa. Su apariencia lo protege de sus enemigos. Se mueve muy lentamente, permanece escondido durante el día y come alguna planta por la noche. Vive en zonas húmedas y cálidas.

Los saltahojas miden escasamente 6 milímetros y se encuentran en todas las partes del mundo. Saltan ágilmente y con mucha rapidez. Algunos llegan a saltar hasta más de 3 metros, o sea, unas 500 veces su propia longitud.

Los saltahojas destruyen los cultivos. Chupan la savia de las plantas y también transmiten virus que causan enfermedades en las mismas.

Insecto palo

Estos insectos son los más largos y delgados del mundo. Su cuerpo parece una ramita o una varita.

Suelen ser verdes o castaños. Se mueven muy lentamente y casi ninguno tiene alas.

Los mayores viven en los trópicos, y tienen una longitud de unos 30 centímetros.

Las aves y otros animales comen estos insectos, pero son difíciles de encontrar porque se confunden fácilmente con el medio que los rodea. Cuando presienten peligro, permanecen inmóviles.

Algunos se defienden arrojando un líquido hacia sus atacantes, lo cual casi siempre da buen resultado.

El llamado insecto hoja es pariente del insecto palo. Sus dos alas parecen hojas de árbol. Tanto el uno como el otro vive en los trópicos.

El insecto palo tiene la cabeza diminuta y las patas muy delgadas. Sus antenas son tan largas como su cuerpo. Se alimenta principalmente de hojas de árbol, plantas silvestres y hierba.

Insectos

Un insecto es un animal invertebrado, es decir, no tiene esqueleto. En el mundo hay más especies de insectos que de cualquier otro tipo de animal.

Se conocen unas 900.000 especies y cada año se descubren muchas otras más.

El cuerpo de los insectos tiene tres partes: cabeza, tórax y abdomen. En la cabeza se encuentran la boca, los ojos y las antenas. Las antenas son órganos del oído, el olfato, el gusto y el tacto de los insectos. Los ojos de casi todos los insectos adultos tienen cientos, o incluso miles, de partes, o celdillas, que

Algunos insectos, como este gorgojo, arruinan los cultivos.

permiten la visión en varias direcciones al mismo tiempo sin tener que mover la cabeza. En el tórax están situadas las patas, que son seis, y en el abdomen se alojan los órganos digestivos y reproductivos.

Los insectos tienen una caparazón dura que les protege los órganos internos. Respiran a través de minúsculos orificios que tienen en la piel.

Los insectos son ovíparos, es decir, nacen de huevos. Al nacer, algunos insectos son versiones en miniatura de sus padres. Otros insectos sufren diversos cambios antes de llegar a parecerse a sus progenitores. Por ejemplo, las mariposas empiezan su vida como orugas.

Algunos insectos son dañinos y transmiten enfermedades a la gente y a los animales, arruinan los cultivos y son plagas muy molestas. Otros son útiles, ya que producen cera, miel, seda y goma.

Véanse también diversas especies de insectos.

Izquierda: la langosta egipcia devora insectos dañinos.

Derecha: las hormigas viven en grupos llamados colonias.

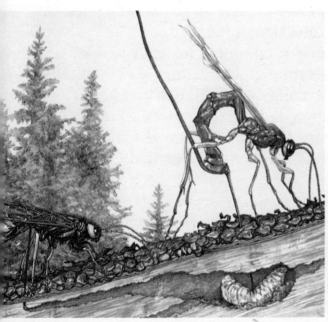

Instinto

Después de nacer en una playa, la tortuga, por instinto, va hacia el agua. En esa forma elude a las gaviotas y otros enemigos.

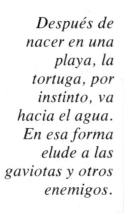

Instinto es el término empleado por los científicos para describir el impulso natural que determina a los animales a obrar. Los científicos suelen ahora utilizar ese término para describir la conducta que es común a todos los animales de una misma especie. Por ejemplo, los polluelos de la gaviota picotean instintivamente el pico de sus padres para indicarles que tienen hambre.

El tema de la conducta instintiva en los animales es muy complicado. Los científicos llamados etnólogos estudian la conducta característica de los animales en su ambiente natural, para tratar de determinar si un ejemplo específico de conducta es heredado o aprendido.

En algunos casos es ambas cosas. Por ejemplo, después de un tiempo, una cría de gaviota aprende a girar la cabeza cuando pica a uno de sus padres pidiéndole comida. En esa forma sujeta mejor el pico de aquéllos.

Véase también *Comportamiento animal, Caza,* y *Crías.*

Instrumentos musicales

Los instrumentos musicales son los que producen música.

Hace miles de años la gente empezó a hacer instrumentos musicales. Uno de los primeros fue hecho en la Edad de Piedra y consistía en un hueso al que estaba atada una tira de cuero. Al hacerse girar en el aire producía un sonido parecido a un rugido ligero. Los modernos son de cuerdas, de viento y de percusión.

Véase también *Instrumentos: de cuerda; Instrumentos: de viento, madera; Instrumentos: de viento, metal; Música;* y *Tambor.*

Los pueblos primitivos hacían instrumentos musicales con materiales naturales, tales como el arco bucal de las tribus del desierto de Kalahari, de África meridional.

El hombre primitivo usaba palos para producir sonidos musicales. También hacía flautas con huesos ahuecados, y tambores, con troncos de árboles.

Instrumentos: de cuerda

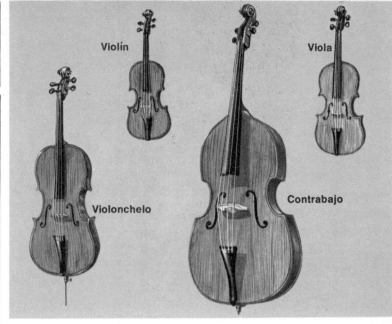
Violín · Viola · Violonchelo · Contrabajo

La familia del violín cuenta, además de éste, con la viola, el violonchelo y el contrabajo.

Los instrumentos musicales de cuerda son los que se tocan pulsando sus cuerdas o rozándolas con un arco.

El arpa, la guitarra, el violín, el contrabajo y el violonchelo son instrumentos de cuerda.

El piano también tiene cuerdas, pero éstas suenan al ser golpeadas por macillos que son activados al oprimir teclas del teclado.

Los instrumentos de cuerda son los más importantes de una orquesta. El principal es el violín, que produce las notas más altas. El contrabajo produce las notas más bajas.

El arco que se usa para algunos de los instrumentos de cuerda es una varilla cuyos extremos están unidos por cerdas tirantes con las que se hieren las cuerdas.

El tamaño de esos instrumentos varía mucho. Los más grandes, como el violón, el contrabajo y el violonchelo, se tocan apoyándolos en el suelo.

Véase también *Piano*.

Instrumentos: de viento, madera

Los instrumentos de viento llamados "maderas" o "de madera" se tocan soplándolos. Al principio se hacían solamente de madera, pero ya muchos son de metal o de materiales plásticos.

Entre esos instrumentos se encuentran la flauta, el clarinete, el oboe y el saxofón.

Básicamente, son tubos con varios agujeros de diversa forma y distintos tamaños. Éstos pueden taparse o destaparse con los dedos o con ayuda de algún mecanismo.

Véase también *Instrumentos musicales* y *Orquesta*.

La flauta transversa se toca teniéndola hacia un lado y soplando por la boquilla que tiene cerca de un extremo.

Los instrumentos de viento forman parte de una orquesta sinfónica.

Instrumentos: de viento, metal

La trompeta, el corno francés, el trombón y la tuba son instrumentos de viento llamados "metales". Esos instrumentos se tocan soplando por la boquilla que tienen en un extremo. La música sale por la abertura mayor, llamada pabellón.

Casi todos los metales tienen pistones que controlan los sonidos agudos y graves. El trombón tiene un tubo móvil. La trompeta da sonidos más agudos que los demás metales. La tuba es mayor y de sonido grave.

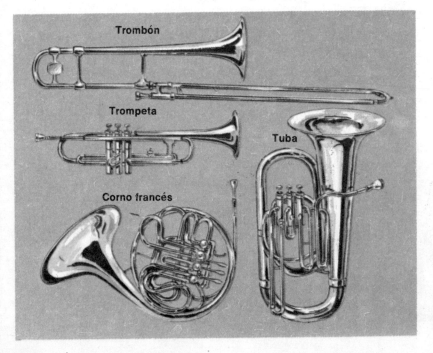

Trombón

Trompeta

Tuba

Corno francés

En el siglo XIX se añadieron pistones a las trompetas, lo que hizo posible tocar todas las notas de la escala y no sólo unas cuantas.

A veces, las lluvias abundantes y la nieve que se derrite provocan inundaciones.

Una inundación se produce cuando un gran caudal de agua cubre tierras que por lo general están secas. Esa agua viene de los ríos y lagos que se desbordan o de las mareas oceánicas.

Las inundaciones tienen causas diversas. Las lluvias torrenciales aumentan el caudal de los lagos, los ríos y los arroyos. La nieve que se derrite hace que suba el nivel del agua.

En algunos lugares, las inundaciones son muy frecuentes. El río Mississippi en Estados Unidos, el Hoang Ho en China, el Ganges en India y el Danubio en Europa se han desbordado muchas veces. Sin embargo, el desbordamiento de un río puede también ser beneficioso. El Nilo se desborda cada año; pero, cuando vuelve a su cauce, ya ha dejado sobre la arena una capa de suelo fértil llamado limo.

Las inundaciones pueden causar graves daños y ocasionar la muerte de muchas personas.

Véase también *Desastres* y *Huracán*.

Inventores

Los inventores tramitan patentes ante el gobierno con el fin de asegurarse el derecho de beneficiarse con la explotación de sus inventos. La patente es la prueba legal de que el inventor es el autor de un invento.

Un inventor es una persona que idea la forma de construir una cosa nueva. Algunos inventores son científicos, pero muchos son gente común a la que se le ocurrió una idea para hacer más fácil, más barato o más rápido alguna cosa.

Por ejemplo, en 1793 Eli Whitney inventó la desmontadora de algodón, máquina que permitió quitar con rapidez las semillas de las fibras del algodón. Alexander Graham Bell inventó en 1876 el teléfono, aparato que permite la comunicación a miles de kilómetros de distancia. Thomas Edison inventó un foco eléctrico barato y práctico en 1879. Todos esos inventos significaron un gran adelanto.

Los aparatos complejos, como la televisión, suelen ser obra de muchos inventores, cada uno de los cuales perfecciona el modelo anterior.

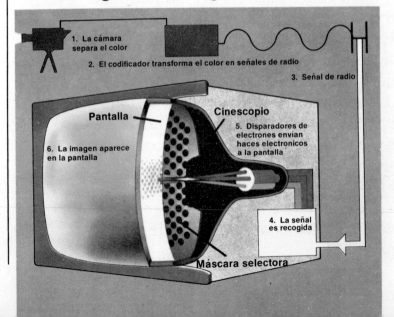

1. La cámara separa el color
2. El codificador transforma el color en señales de radio
3. Señal de radio
Pantalla
Cinescopio
5. Disparadores de electrones envían haces electronicos a la pantalla
6. La imagen aparece en la pantalla
4. La señal es recogida
Máscara selectora

Un invento es un aparato o mecanismo nuevo que ayuda a que algo se haga mejor o más rápido. Un invento es distinto de un descubrimento. Un objeto descubierto ya existía en la naturaleza, así que la persona que hace el descubrimiento no inventa nada nuevo con ello. Benjamin Franklin no inventó la electricidad, sino descubrió que el rayo es una forma de electricidad.

Los primeros inventos fueron instrumentos sencillos, como el martillo y el yunque. La invención de la rueda permitió construir carretas que pudieran recorrer grandes distancias. Posteriormente, se inventaron mecanismos para aprovechar la energía de la naturaleza, como la del agua de los ríos y la del viento, que se aprovecharon para hacer funcionar los molinos. La invención de las turbinas permitió utilizar la energía hidráulica para generar electricidad. Se han inventado motores que funcionan con combustibles.

El astrolabio fue un invento que ayudó a los exploradores, como Cristóbal Colón, a descubrir nuevos lugares allende los mares.

23

Invertebrados

Los invertebrados son animales sin columna vertebral. El pulpo, la hormiga, la langosta y la cucaracha son invertebrados. Aunque más del 90 por ciento de los animales son invertebrados, los más conocidos: peces, aves, reptiles y mamíferos son vertebrados.

Hay más de un millón de especies de invertebrados. Algunos son unicelulares, sin cabeza, patas o cola; son tan pequeños que sólo pueden verse con un microscopio. Otros son enormes monstruos marinos. El calamar gigante es invertebrado, pero llega a medir hasta 17 m de largo. Hay medusas gigantes cuyos tentáculos miden hasta 30 m de longitud.

Las estrellas de mar, las esponjas, las arañas, los gusanos y los caracoles son invertebrados, así como todos los insectos. Esos animales no tienen huesos en el cuerpo, pero muchos están recubiertos en su exterior por una caparazón dura. La caparazón de la langosta y la concha de las almejas las protege de sus enemigos.

Véase también animales como *Araña, Caracol, Esponja* y Medusa.

Derecha: un miriápodo llega tener más de 100 patas, pero no tiene un solo hueso en todo el cuerpo.

Izquierda: esta liebre marina es un invertebrado.

El invierno es la estación más fría del año y ocurre entre el otoño y la primavera. En el hemisferio norte comienza el 21 ó el 22 de diciembre y termina el 20 ó el 21 de marzo. En el hemisferio sur es verano en esa temporada.

En invierno los días son cortos, y largas las noches. En las regiones más distantes de las zonas templadas, al norte y al sur del ecuador, las temperaturas son muy bajas en invierno y es normal que haya nieve.

Hay deportes invernales en los lugares en que abunda la nieve. En algunas partes el transporte tiene que efectuarse en trineos. El patinaje sobre hielo y el esquí son deportes invernales.

En invierno, el agua que gotea o escurre de los tejados se transforme en carámbanos al congelarse por el frío intenso.

En invierno los niños se divierten haciendo muñecos y chozas de nieve.

Irlanda

Irlanda es una isla de tierras bajas rodeadas de colinas y montañas. Está situada en el océano Atlántico, al oeste de Gran Bretaña.

Debido a su clima templado y lluvioso, es uno de los países más verdes del mundo. A menudo se le llama la Isla Esmeralda.

Los agricultores irlandeses crían ganado lechero fino, caballos y ovejas. El subsuelo proporciona el combustible llamado turba.

Irlanda es famosa por su literatura, su música y también por lo que los irlandeses llaman sus "problemas", es decir, los siglos de conflictos que ha habido entre Irlanda e Inglaterra.

Irlanda está dividida en dos partes; una, situada al sur, es la República de Irlanda, que se independizó en 1949 y tiene unos dos tercios de la población de la isla, en su mayoría católicos; en la parte norte hay seis condados agrupados en lo que se llama Irlanda del Norte, que pertenece al Reino Unido.

La mayoría de los habitantes de Irlanda del Norte son protestantes.

Véase también *Europa* y *Gran Bretaña*.

La turba se extrae del suelo, se seca y se usa como combustible en los hogares de Irlanda.

Isabel I de Inglaterra (1533–1603) ha sido una de las reinas más famosas. Bajo su reinado, Inglaterra llegó a ser una de las principales potencias de Europa.

Isabel fue hija de Enrique VIII y Ana Bolena. En 1558 subió al trono y reinó hasta su muerte, en 1603. Su objetivo principal fue lograr la unidad de su país; procuró mitigar el violento conflicto entre protestantes y católicos que se inició cuando Enrique VIII rompió con la Iglesia Católica y fundó la Iglesia Anglicana.

Isabel I fomentó el comercio y la industria, que trajeron prosperidad al país, y guió a Inglaterra en su larga guerra contra España, en la que aquélla estableció su superioridad naval al derrotar a la armada española en 1588.

Fue protectora de las artes y durante su reinado florecieron grandes escritores, como William Shakespeare y Edmund Spencer, que adquirieron justificada fama.

Isabel patrocinó viajes de exploración y colonización. Durante su reinado, sir Francis Drake realizó un viaje alrededor del mundo que duró tres años.

Islamismo

El islamismo es una religión basada en las enseñanzas del profeta Mahoma, quien creía que se debía adorar a un solo dios: Alá. Quienes practican el islamismo son llamados musulmanes, que significa "los que se someten a la voluntad de Alá".

El islamismo cuenta con más de 500 millones de adeptos, la mayoría de ellos en el Oriente Medio, el norte de África y el sur de Asia. La Meca y Medina, en Arabia Saudita, son ciudades santas del islamismo. Mahoma nació en La Meca y comenzó a predicar su religión en Medina en el año 610. En su época de mayor auge, el islamismo se extendía de España a India.

El libro sagrado del islamismo es el Corán, que dice que Dios es misericordioso y creó al mundo, que la vida terrenal es prueba para la vida eterna, en el cielo o el infierno. Prohíbe la mentira y el robo y alienta al honor, la bondad y el valor.

La casa de oración de los musulmanes es la mezquita. Los musulmanes oran, de cara a La Meca, cinco veces al día y esperan realizar una peregrinación a esa ciudad cuando menos una vez en la vida.

Una isla es una porción de tierra rodeada de agua. Algunas islas son tan pequeñas que sólo anidan en ellas las aves marinas. Otras son tan grandes que alojan países enteros. La mayor isla del mundo es Groenlandia, situada al norte del Atlántico.

Hay varios tipos de islas. Las que están situadas cerca de los continentes son llamadas islas continentales. Las británicas son islas continentales que se formaron al elevarse el nivel del mar y cubrir la tierra que las unía con el continente europeo.

En su mayoría, las islas están situadas en medio de los océanos y nunca estuvieron unidas a un continente. Esas islas son llamadas islas oceánicas, y algunas de ellas, como las islas Hawai, en el océano Pacífico, son la cima de volcanes sumergidos. Otras son islas coralinas que se formaron en parte con esqueletos de millones de minúsculos animales marinos llamados pólipos de coral.

Manhattan, que forma parte de la ciudad de Nueva York, es una isla unida a tierra firme por puentes y túneles.

29

Islas: del Pacífico

Hay unas 20.000 islas en el océano Pacífico. Unas son continentales y otras oceánicas. Las mayores son continentales: Indonesia, Japón, Nueva Guinea y Nueva Zelanda.

Hay tres grupos importantes: la Melanesia, la Micronesia y la Polinesia. La Melanesia (islas de los Negros) comprende Nueva Guinea, islas Salomón, Nuevas Hébridas, Nueva Caledonia, Fiji, Bismarck y Luisiadas. La Micronesia (Islas Pequeñas) comprende los archipiélagos de las Marianas, Carolinas, Palaos, Marshall y Gilbert. La Polinesia forma un enorme triángulo en medio del Pacífico; sus principales archipiélagos son Nueva Zelanda, Hawai, Tonga, Cook, Ellice, Phoenix, de la Sociedad (con Tahití), Marquesas, Tuamotú. Sus habitantes son de color moreno aceitunado; se dedican a la pesca y cultivan cocoteros para alimento y hacer cabañas.

Véase también *Filipinas, Indonesia, Islas,* y *Océáno Pacífico.*

Muchas islas del Pacífico son de impresionante belleza natural.

Israel es una pequeña nación situada en la costa oriental del Mar Mediterráneo. Fue establecida en 1948 como patria para el pueblo judío en la región que antiguamente se llamaba Palestina.

Alrededor del año 1.000 a. de C., los judíos establecieron allí una nación, pero en el año 70 d. de C. fue devastada por los romanos. Palestina también ha estado bajo la dominación árabe, turca e inglesa.

Los judíos han emigrado por todo el mundo. Han sido perseguidos en muchos países. A partir de fines del siglo XIX, muchos judíos empezaron a ir a Palestina.

Desde que se estableció, Israel ha tenido varias guerras con los árabes. El hebreo y el árabe son idiomas oficiales. Tiene 4 millones de habitantes. Casi todos los israelíes son judíos, pero también hay musulmanes y cristianos.

Véase también *Judaísmo* y *Oriente Medio*.

El Muro de las Lamentaciones es todo lo que queda del antiguo templo de Jerusalén.

Italia

*En muchas
ciudades de
Italia, como
Roma y Siena
(arriba), hay
monumentos y
edificios
antiguos.*

Italia es un país de Europa meridional que
parece una bota en medio del mar
Mediterráneo. Las grandes islas de Cerdeña y
Sicilia pertenecen a Italia. La parte norte es la
región más rica del país; tiene las mejores
tierras de cultivo y la mayoría de las fábricas.
El trigo es uno de los cultivos principales. Otro
de los principales productos de Italia es el
vino. Casi todos los italianos pertenecen a la
Iglesia Católica Romana, cuyo jefe es el papa.

Italia tiene una gran importancia histórica.
Desde el siglo V a. de C. hasta el siglo V d. de
C., Roma fue el centro del antiguo Imperio
Romano, el más extenso que ha existido.
Muchos grandes artistas han sido italianos,
como Miguel Ángel y Leonardo da Vinci.
Verdi y Puccini fueron dos grandes
compositores italianos, autores de muchas de
las óperas más populares del mundo.

Véase también *Europa; Iglesia Católica Romana;
Imperio Romano; Leonardo da Vinci; Miguel Ángel;
Renacimiento;* y *Verdi, Guiseppe.*

El jade es una piedra preciosa dura y brillante de diversos colores. Se utiliza en joyería o para tallar objetos artísticos.

El jade lo forman dos minerales diferentes: la jadeíta y la nefrita. La jadeíta es más rara y valiosa que la nefrita; suele ser de color verde esmeralda o blanca y es más dura que la nefrita. La jadeíta verde esmeralda se utiliza en joyería y en la fabricación de objetos tallados. Casi toda la jadeíta proviene de Birmania.

Le nefrita es, por lo general, verde, blanca o amarilla; procede principalmente de Nueva Zelanda, aunque también se encuentra en Alaska, Wyoming y México. Los aztecas consideraban a la nefrita más valiosa que el oro. Los aborígenes maoríes de Nueva Zelanda tallan extrañas figuras humanas en nefrita.

Durante más de 3.000 años, los chinos han hecho figuras y joyas de jade. El jade es tan duro que es difícil de tallar.

Los museos y los amantes del arte coleccionan antiguas tallas de jade de China.

33

Jaguar

Los antiguos mayas creían que el jaguar era un dios.

El jaguar es el felino de mayor tamaño de América. Vive en el sudoeste de Estados Unidos, en México, América Central y América del Sur, inclusive en el norte de la Argentina.

Habita en bosques y praderas. Caza sobre todo de noche y se alimenta de todo tipo de animales, inclusive ciervos, cerdos salvajes, cocodrilos, vacas y peces. A éstos los captura enganchándolos con las garras en las riberas de los ríos. Es casi tan fuerte como el león o el tigre y puede arrastrar a una vaca o un caballo a grandes distancias. Casi nunca ataca al hombre.

Véase también *Felinos*.

El jaguar no puede correr con rapidez durante mucho tiempo. Corre con el vientre muy cerca del suelo.

El jai alai es un deporte que se juega en una cancha de tres paredes. Los jugadores arrojan y atrapan, con una cesta curva, una pelota dura de caucho cubierta de piel. Cada jugador se ata la cesta al antebrazo. El jugador atrapa la pelota con la cesta y la arroja contra la pared frontal de la cancha.

Dos jugadores participan en partidos de "singles", y cuatro lo hacen en juegos de "dobles".

El jai alai se originó en las regiones vascas, al norte de España y el sur de Francia.

Las canchas del jai alai se llaman frontones. Es un deporte que requiere de mucha agilidad. Lo practican muchos jugadores profesionales.

La pelota alcanza velocidades hasta de 240 kilómetros por hora.

El jai alai se juega en canchas cerradas de España, América Latina y de algunos lugares de Estados Unidos, como la Florida.

Japón

Japón es un país situado en el océano Pacífico, frente a la costa oriental de Asia. Está integrado por cuatro islas principales y cientos de pequeños islotes que forman una cadena de tierra de unos 2.400 kilómetros de largo. Tiene unos 115 millones de habitantes y es uno de los países más densamente poblados. Hasta el último pedazo de tierra cultivable ha sido plantado con arroz, té y otros cultivos. El pescado es el alimento principal.

La mayor de las islas del Japón es Hondo (Honshu) y en ella está la capital, Tokio, y el Fujiyama, monte sagrado de los sintoístas, que es un volcán extinguido desde 1707.

Las principales religiones de Japón son el budismo y el sintoísmo. El emperador es el Jefe del Estado, pero el país es una democracia parlamentaria que elige a sus dirigentes políticos.

Japón produce automóviles, cámaras fotográficas, televisores, computadoras y otros aparatos electrónicos que se venden en todo el mundo.

Véase también *Asia*.

Los jardines japoneses son lugares apacibles, con árboles y grupos de piedras artísticamente dispuestos.

Un jardín es un terreno en que se cultivan flores o plantas de ornato o exóticas. Hay jardines botánicos, donde las plantas se estudian o son puestas en exhibición por ser curiosas o extrañas.

Las plantas de los jardines necesitan aire, agua, luz y tierra. Muchas de ellas se plantan en la primavera, para que el sol y el calor del verano las hagan crecer. Para que las plantas se mantengan lozanas, es necesario limpiar y regar los jardines, que requieren cuidados. Sin embargo, el jardinero tiene su recompensa cuando las plantas florecen.

Los jardines han existido desde hace cientos de años.

El jardinero debe cuidar de que las plantas tengan suficiente agua.

Las flores de los jardines dan belleza y color al mundo.

Jazz

El clarinete es un instrumento común en las orquestas de jazz, que a menudo incluyen también la trompeta, el trombón, el saxofón, la batería y el piano.

El jazz es la música más importante que ha salido de Estados Unidos. Su ritmo se originó en las canciones de trabajo y en los cantos espirituales que los esclavos negros trajeron de África. Para 1900, la música negra de *ragtime* era muy popular. También por esa época se popularizó el *blues* y el *Dixieland,* que nacieron en Nueva Orleáns.

El trompetista Louis Armstrong fue una gran figura del jazz e introdujo ideas nuevas acerca del ritmo y la melodía. Al principio no sabía leer música, por lo que tenía que improvisar las melodías a medida que las tocaba. Esta improvisación es frecuente en los músicos de jazz.

El jazz de las grandes orquestas, llamado *swing,* apareció en Kansas City y Harlem. Benny Goodman fue director de una gran orquesta y fue llamado el Rey del Swing. Otro gran director fue Duke Ellington, uno de los más importantes compositores de jazz.

Jefferson, Thomas

Thomas Jefferson (1743 a 1826) fue uno de los hombres más inteligentes de Estados Unidos. Fue el principal redactor de la Declaración de Independencia y también el tercer presidente de ese país. Era arquitecto e inventor.

Nació en Virginia. A los 25 años fue elegido miembro de la legislatura local. Se volvió paladín de los derechos de las Colonias contra el gobierno de Inglaterra. Después de comenzar la lucha independentista, en 1775, fue escogido para redactar la Declaración de Independencia, que fue adoptada el 4 de julio de 1776.

Jefferson fue presidente durante dos periodos, de 1801 a 1809. En 1803, Francia vendió a Estados Unidos el territorio de Louisiana por 15 millones de dólares, con lo que se duplicó el territorio nacional.

Fundó la universidad de Virginia en 1819, de la que hizo los planos para sus edificios, y fue su primer rector.

La Declaración de Independencia es uno de los más importantes documentos sobre la libertad y los derechos humanos. En la misma, Jefferson explica por qué las trece colonias norteamericanas debían ser libres.

Jesucristo

Muchos artistas han pintado a la Virgen María con el Niño Jesús.

Jesucristo fue el fundador de la religión cristiana. Los cristianos creen que Jesús es el Hijo de Dios y que vino a la Tierra para librarnos de nuestros pecados.

Investigaciones muy precisas permiten asegurar que su nacimiento fue aproximadamente cuatro años antes de lo que llamamos era cristiana. Nació en Belén y vivió en Nazaret con su madre María y el esposo de ésta, José.

Poco se sabe de su vida antes de cumplir 30 años excepto su visita al templo de Jerusalén y que trabajaba de carpintero con José. A los 30 años comenzó a predicar. Escogió doce apóstoles para propagar su doctrina.

Los Evangelios, escritos por algunos de sus discípulos, narran sus obras y milagros que curaron enfermos y ciegos, y multiplicaron panes y peces, etc. Poncio Pilatos lo condenó a morir crucificado.

Véase también *Cristianismo, Navidad, y Pascua.*

La jirafa es el más alto de los mamíferos. Vive en las sabanas de África. En una época abundaba en todo el continente africano, pero actualmente, vive principalmente en la parte oriental. Las jirafas viajan en pequeñas manadas guiadas por un macho. La jirafa macho mide hasta 5,5 m de alto y pesa unos 1.360 kg. La hembra pesa casi una tonelada. La cabeza y el cuello de la jirafa constituyen casi la mitad de su cuerpo. Ese cuello largo permite a las jirafas divisar a sus enemigos cuando aún están lejos y comer las hojas tiernas de árboles muy altos.

El principal enemigo de la jirafa es el león, que la ataca cuando ésta abre las patas para inclinarse a beber o a comer hojas de arbustos bajos, aprovechando que así queda totalmente indefensa. Sin embargo, la jirafa es más veloz que el león y puede huir de él o matarlo de una coz. Los cazadores matan muchas jirafas para utilizar su carne y su piel.

La jirafa corre a velocidades de unos 48 kilómetros por hora.

Joyería

Las piedras preciosas se engarzan en monturas de oro y plata para fabricar pulseras, collares y otras joyas.

La joyería la constituyen los objetos que usan las personas como adorno. Pueden ser collares, pulseras, aretes, o anillos.

Las joyas pueden estar hechas de muchos materiales. En la antigüedad, las joyas se fabricaban con objetos comunes como semillas, conchas y dientes de animales. Al descubrirse el oro, la plata y las piedras preciosas, comenzaron a utilizarse esos materiales para fabricarlas. Los egipcios utilizaban oro, turquesas y otras piedras preciosas para fabricar sus joyas. Actualmente se fabrican también con materiales menos costosos.

Las piedras preciosas se cortan y tallan. En la fotografía se muestran cuatro piedras preciosas: el ópalo, el ámbar, la turquesa y la malaquita.

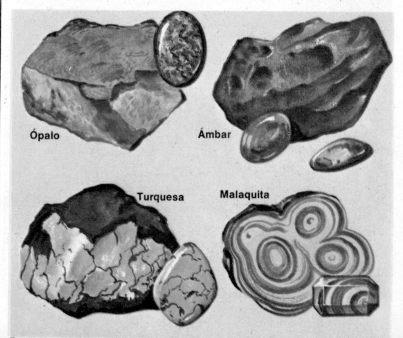

Ópalo

Ámbar

Turquesa

Malaquita

Juana de Arco

Juana de Arco (1412–1431) fue una joven campesina francesa que creyó que Dios le había confiado la misión de expulsar a los ingleses de Francia.

Nació en Domrémy, al nordeste de Francia. Era muy religiosa y a los 13 ó 14 años de edad empezó a escuchar voces y a ver visiones de San Miguel y Santa Catalina instándola a liberar a su patria. En esa época los ingleses trataban de conquistar a Francia. En 1429 fue a ver al príncipe heredero, el Delfín Carlos, al que informó de su misión divina. Él le confió el mando de tropas francesas contra los ingleses. Tomó ella la ciudad de Orleáns y luego la de Reims, donde el Delfín fue coronado como Carlos VII, en 1429.

Juana de Arco puso sitio a París, pero tuvo que desistir porque el rey no la apoyó. Traicionada, fue entregada a sus enemigos. Acusada de herejía, murió en la hoguera el 30 de mayo de 1431. Los ingleses, finalmente, salieron de Francia.

Juana demostró valor heroico en las batallas. Fue herida dos veces, pero siempre estuvo al frente de sus soldados en los ataques. La Iglesia Católica la declaró santa en 1920.

Judaísmo

El judaísmo es una de las religiones importantes del mundo occidental. Su doctrina principal es la de exponer la existencia de un solo Dios. Hay unos 15 millones de judíos en el mundo.

La Biblia hebrea (judía) fue escrita alrededor del siglo V a. de C. Se llama Antiguo Testamento entre los cristianos. Las leyes básicas y enseñanzas del judaísmo están en la Tora, nombre dado por los judíos a la ley mosaica (Pentateuco).

Otro importante libro judío es el Talmud, que contiene las leyes del judaísmo con comentarios hechos por los primeros rabinos.

El judaísmo da mucha importancia al valor de la vida. Enseña que los judíos serán bendecidos si son fieles a Dios. Establece que Dios dio a Moisés los Diez Mandamientos y otras leyes del judaísmo. Los judíos oran en templos llamados sinagogas, dirigidos por rabinos.

Véase también *Biblia* y *Moisés*.

La festividad de la Pascua hebrea celebra la libertad de los judíos después de estar cautivos en Egipto.

El judo es un deporte basado en antiguas técnicas orientales de combate. Se originó en Japón en el decenio de 1880, derivado principalmente del jiu-jitsu, un sistema de defensa personal sin armas.

Por lo general, se practica en competencias atléticas y es uno de los deportes olímpicos.

Se practica entre dos competidores sobre una lona de unos nueve metros cuadrados. El ganador es el que obtiene un punto completo o es declarado ganador por los jueces. Éstos conceden puntos y medios puntos por derribes o por sujetar al contrario contra la lona, o *tatami*.

Los encuentros duran de 3 a 20 minutos, con extensiones de 2 a 5 minutos. Los competidores no deben golpearse con las manos ni con los pies. Cuando caen, tratan de aplicarse palancas en los brazos y las piernas.

Los competidores visten un uniforme holgado sujetado con una faja, llamada "cinta".

Los judokas, *o luchadores de judo, aprenden muchas técnicas para derribar a sus oponentes.*

Juegos

Un juego es una actividad o un deporte que se practica como diversión. Hay cientos de juegos diferentes; algunos son pasivos, como los de baraja o de damas, y otros son activos, como el del escondite o los de pelota. También hay juegos en que los participantes se imaginan que son astronautas o médicos.

Algunos juegos son muy sencillos y tienen sólo una o dos reglas que los jugadores deben seguir; otros son más complicados, con muchas reglas que los participantes deben tener presentes.

Es probable que los juegos infantiles se hayan iniciado cuando los niños empezaron a imitar lo que hacían los adultos. Es posible que juegos como el de ''la trae'' se hayan iniciado cuando los niños imitaron a los adultos que cazaban animales salvajes para comer. Quizá los primeros juegos de pelota hayan comenzado cuando los niños imitaron a los adultos que arrojaban lanzas. La pelota de esos juegos quizá haya sido una piedra, un fruto o un hueso de animal.

Véase también *Deportes* y *Recreación*.

Saltar a la cuerda es un juego que los niños pueden jugar solos o en grupo.

Juegos Olímpicos

Los Juegos Olímpicos son competencias deportivas internacionales que se efectúan cada cuatro años en distintos países. También se les llama Olimpiadas.

Se iniciaron en la ciudad de Olimpia, de la antigua Grecia, el año 776 a. de C., y los últimos de esa primera época se realizaron en 396 d. de C. Los modernos se iniciaron en Atenas en 1896 por iniciativa de Pierre de Coubertin.

Desde 1924 se efectúan los Juegos Olímpicos de Invierno, también cada cuatro años.

Al comienzo de los Juegos Olímpicos, los atletas desfilan ante los espectadores.

Los antiguos Juegos Olímpicos se efectuaban en las llanuras de Olimpia, cerca del templo de Zeus. Los atletas trataban de igualar las aptitudes de los dioses.

Créditos de las Fotografías e Ilustraciones

Todas las caricaturas fueron proporcionadas por Walt Disney Productions. Los créditos figuran de izquierda a derecha y de arriba a abajo.